POESÍA EN CASA ÉMORY

POESÍA EN CASA ÉMORY

POETRY IN SPANISH TODAY

Number 9 in the Valparaíso Poetry Collection
Directed by Gordon E. McNeer

Cover Design: Chari Nogales
Cover Picture: Joey Kyber

First Edition: April 2017

POB 1729. Clayton, GA 30525 USA
www.valparaisoeditions.us

ISBN: 978-0-9909241-6-6

Printed in the United States of America

PRESENTACIÓN

KAREN STOLLEY
DIRECTORA DEL DEPARTAMENTO DE ESPAÑOL Y PORTUGUÉS
2012-2015

DONALD TUTEN
DIRECTOR DEL DEPARTAMENTO DE ESPAÑOL Y PORTUGUÉS
2015-2018

During the fall semester of 2015 and the spring of 2017, the Department of Spanish and Portuguese celebrated the series Poetry at Emory House, during which time twenty Spanish language authors have been invited to share the richness of their poetic creation in Spanish with the students and the public in general.

Poets from Argentina, Mexico, Colombia, El Salvador, Italy, Spain, Chile, Cuba and the United States have shared their experience in poetic creation with our students in an atmosphere of closeness and dialogue in the main room of the Emory House. This has been a unique experience for students, professors and poets alike. To sit down for coffee with renowned poets is one of the experiences during their time at Emory that our students will always remember. Literary creation is one of the benchmarks of our university, and the Department of Spanish and Portuguese has seen fit to bring to this great "Poetry House" the world vision that these speakers of Spanish show through their poetic voices.

This book reflects the efforts that have been made by this department to put our students in contact with the present and future of poetry in the Spanish language. Poetry places us in another's space; it makes us dwell in their skin and makes us imagine new possibilities. To celebrate poets and poetry helps us to construct the foundation of tolerance and diversity upon which knowledge and social harmony are built.

Durante el semestre de otoño de 2015 y el de primavera de 2017, el departamento de español y portugués ha celebrado el ciclo Poesía en Casa Émory, por el que han pasado veinte autores en lengua española para compartir con los estudiantes y con el público en general la riqueza de la creación poética en español en la actualidad.

Poetas de Argentina, México, Colombia, El Salvador, Italia, España, Chile, Cuba y Estados Unidos, han compartido su experiencia de creación poética con los estudiantes en un ambiente de cercanía y diálogo, en el salón de Casa Émory. Esta ha sido una experiencia singular tanto para los estudiantes como para los profesores y los propios poetas. Sentarse con autores renombrados junto a un café, unidos por la poesía, es una de las experiencias de su paso por Emory que nuestros estudiantes van a recordar siempre. La creación literaria es uno de los referentes de nuestra universidad y el Departamento de Español y Portugués ha querido aportar a esta gran "casa de la poesía" la visión del mundo que los hablantes de español muestran desde sus voces poéticas.

Este libro recopila el esfuerzo y el trabajo que desde el departamento se ha hecho para poner en contacto a nuestros estudiantes con el presente y el futuro de la poesía en lengua española. La poesía nos coloca en el lugar del otro, nos hace ocupar su piel y nos hace imaginar nuevas posibilidades. Celebrar a los poetas y la poesía nos ayudará a construir los pilares de la tolerancia y de la diversidad, sobre los que pueda sostenerse el conocimiento y la convivencia.

BIENVENIDA

ÁNGEL MARTÍN VILLANUEVA
NAUZET LOZANO ALVARADO
M. ELVA GONZÁLEZ HERNÁNDEZ

During the fall semester of 2015, Emory House embraced the first Contemporary Poetry in Spanish series as part of the course "Poetry in Spanish Today" offered by Professor Fernando Valverde for the purpose of creating a space open to cultural dialogue among the entire student and faculty community within and outside of Emory. The rewarding experience of this first semester has continued with a second edition in the spring of 2017.

As a result of our experiences while participating in the co-ordination and organization of these series, what stood out the most for us was the creation of a community based on poetry thanks to the performability of the text, understood as a collective experience upon being read aloud by the authors to their public. In other words, the fact that the poets shared their work before the audience at Emory House fostered an ideal atmosphere for us to draw near to contemporary Spanish poetry from a more intimate and personal perspective, something that facilitated conversation and interaction among guests and participants.

In a like manner, we had the opportunity to get to know a plurality of voices of different origins: Argentina, Chile, Colombia, Cuba, El Salvador, Mexico, Spain . . . whose perspectives seemed multiplied by the diversity of interpretations by both public and author. In this way, we were witnesses to a dialogue between poet, listener and text.

Another prominent aspect of the series was its interdisciplinary character and its application to language

Durante el semestre de Otoño de 2015, Casa Émory acogió el primer Ciclo de Poesía Actual en Español como parte del curso "Poetry in Spanish Today" del profesor Fernando Valverde, con el objetivo de crear un espacio abierto al diálogo cultural para toda la comunidad académica y estudiantil, dentro y fuera de Émory. La enriquecedora experiencia de este primer semestre ha continuado con una segunda edición en la Primavera de 2017.

A través de nuestras experiencias participando en la coordinación y organización de los ciclos, destacaríamos la creación de una comunidad alrededor de la poesía gracias a la performatividad del texto, entendida como una experiencia colectiva al ser leído en voz alta por el propio autor a su público. Es decir, el hecho de que los poetas compartieran su obra frente a la audiencia en Casa Émory propició un ambiente ideal para acercarnos a la poesía actual en habla hispana desde una perspectiva más íntima y personal, algo que facilitó la conversación e interacción entre invitados y participantes.

Asimismo, tuvimos la oportunidad de conocer una pluralidad de voces de diferentes orígenes: Argentina, Chile, Colombia, Cuba, El Salvador, España, México... Cuyas perspectivas se vieron multiplicadas por la diversidad de interpretaciones, tanto del público como del escritor. De esta manera, fuimos testigos de un diálogo entre poeta, oyente y texto.

Otro de los aspectos destacables fue el carácter interdisciplinar de los ciclos y su aplicación a la enseñanza de lenguas. La audiencia pudo conocer y entender de pri-

instruction. The audience was able to know and understand first hand the context in which each poem was created, promoting conversations about historical events or political and social situations. In this way, poetry became an instrument for linguistic reflection, provoking critical thinking and developing intercultural understanding.

Finally, we wish to thank all those who have supported and attended these series: students and professors of Emory, colleagues from Oxford College, professionals from the Centers for Disease Control and Prevention (CDC), members of the Casa de España in Georgia, residents of the Emory House, and, of course, each and every one of the poets and musicians invited. Thousands of thanks for making us participants in something so special. "Poetry doesn't want followers, it wants lovers," Federico García Lorca.

ÁNGEL MARTÍN VILLANUEVA
Coordinador Cultural de Casa Émory 2014 / 2016

NAUZET LOZANO ALVARADO
Coordinador Cultural de Casa Émory 2016 / 2017

M. ELVA GONZÁLEZ HERNÁNDEZ
Casa Émory Faculty Advisor

mera mano el contexto en el que el poema fue creado, promoviendo conversaciones sobre eventos históricos o situaciones políticas y sociales. De esta manera, la poesía se convirtió en un instrumento de reflexión lingüística, fomentando el pensamiento crítico y desarrollando la comprensión intercultural.

Finalmente, queremos agradecer a todos aquellos que han apoyado y asistido a estos ciclos: estudiantes y profesores de Émory, compañeros de Oxford College, profesionales del Centro para el Control y la Prevención de Enfermedades (CDC), miembros de la Casa de España en Georgia, residentes de Casa Émory, y, por supuesto, a todos y cada uno de los poetas y músicos invitados. Millones de gracias por hacernos partícipes de algo tan especial. "La poesía no quiere adeptos, quiere amantes", Federico García Lorca.

ÁNGEL MARTÍN VILLANUEVA
Coordinador Cultural de Casa Émory 2014 / 2016

NAUZET LOZANO ALVARADO
Coordinador Cultural de Casa Émory 2016 / 2017

M. ELVA GONZÁLEZ HERNÁNDEZ
Casa Émory Faculty Advisor

PRÓLOGO

FERNANDO VALVERDE
COORDINADOR DEL CICLO Y PROFESOR DEL CURSO
POETRY IN SPANISH TODAY

THE HOUSE OF POETRY

In *The Road Not Taken*, Robert Frost regrets not being able to travel each of the two roads before which he finds himself. Life is full of decisions that could have changed us forever. Before that uncertainty, before that fear of the unknown, arose the idea of destiny, because to assume responsibility for all the roads not taken can presuppose a burden too heavy to endure.

Our students find themselves at the crossroads of such a permanent choice, and soon they are going to realize that there have been many roads that they have left behind and that they will never be able to travel.

It is a consolation that we are able to share the fact that literature can take us along all those roads that we can't travel. Poetry leads us along them in the company of a man or a woman who lived in another time and another place. It is for that reason that it is a unique source of knowledge because it shows us how to put ourselves in another's place, even though that other person might be a pirate to whom Espronceda grants the ultimate gift of liberty or a noble Castilian who in the fifteenth century had just lost his father.

Throughout these two courses of *Poetry in Spanish Today* we have attempted to find access to the manner in which other people feel. Far from questioning, we have learned to struggle with putting ourselves in the place of one who suffers because that is the greatest form of knowledge to which a person can aspire, that of learning to coexist with suffering, death, the passage of time and

LA CASA DE LA POESÍA

Se lamenta Robert Frost en *The Road Not Taken* por no poder tomar los dos caminos ante los que se encuentra. La vida está llena de decisiones que podrían habernos cambiado para siempre. Ante esa incertidumbre, ante el temor de lo desconodido, se edificó la idea del destino, porque responsabilizarse de todos los caminos no elegidos puede suponer una carga demasiado pesada.

Nuestros estudiantes se encuentran en la encrucijada de la elección permanentemente y pronto van a asumir que han sido muchos los caminos que han dejado atrás y que ya no podrán recorrer nunca.

Es un consuelo que debemos compartir el hecho de que la literatura puede llevarnos por todos aquellos caminos por los que no podremos pasar. La poesía nos conduce por ellos en compañía de una mujer o un hombre que habitaron en otro tiempo y en otro espacio. Es por eso que se trata de una fuente de conocimiento única porque nos enseña a situarnos en el lugar del otro, aunque ese otro sea un pirata al que Espronceda concede el don supremo de la libertad o un noble castellano que en el siglo XV acaba de perder a su padre.

A lo largo de estos dos cursos de *Poetry in Spanish Today* hemos tratado de ser cómplices de la forma de sentir de los otros. Lejos de cuestionar, hemos aprendido a hacer el esfuerzo de ponernos en el lugar del que sufre, porque esa es la mayor forma de conocimiento a la que puede aspirar un hombre, la de aprender a convivir con el dolor, la muerte, el paso del tiempo y la pérdida. Al compartir una

loss. Upon sharing a wound with poets in their native Spanish language we have become part of their world. That has been the philosophy of this course, and its finest moments have been the visits by the authors, who have shared their creative experiences with us, revealing the intimacy of their universe to us in order to draw us into the essence of their work.

I wish to offer my heartfelt thanks to Donald Tuten and to Karen Stolley who trusted in a project that anyone else might have considered idyllic. It is thanks to them that Emory University enjoys the best poetry series in Spanish among the many that are offered by universities in the United States.

Also to my colleagues who have made so many contributions to its success and who have supported me with their presence in the events and with their understanding at other times. Special thanks to Elva González, Ángel Martin y Nauzet Lozano for being the very best of hosts at Emory House, a place that poets now consider part of their literary geography.

Also to Zinnia, Astry and Rosana, without whom we could not have moved forward. And to Robert Goddard, a fan of this project and an advocate for the teaching philosophy that it implies.

It is my hope that you may enjoy this book full of good poems and that through them you might remember some of the heartfelt moments that we have lived together these two years in the good graces of poetry.

herida con los poetas en lengua española hemos formado parte de su mundo. Esa ha sido la filosofía de este curso y sus mejores momentos han sido las visitas de los autores, que han compartido sus experiencias creadoras con nosotros, abriéndonos la intimidad de su universo para acercarnos a las claves de sus obras.

Quiero agradecer de corazón a Donald Tuten y a Karen Stolley que confiaron en este proyecto que a cualquiera le habría resultado idílico. Es gracias a ellos que la Universidad de Emory hoy tiene el mayor ciclo de poesía en español de cuantos se celebran en universidades de Estados Unidos.

También a mis compañeros, que han puesto de su parte para que fuera un éxito y que me han apoyado con su presencia en los actos y con su complicidad fuera de ellos. Gracias en especial a Elva González, Ángel Martín y Nauzet Lozano por ser unos inmejorables anfitriones en Casa Émory, un lugar que los poetas ya sienten como parte de su geografía literaria.

También a Zinnia, Astry y Rosana, sin las que no podríamos haber salido adelante. Y a Robert Goddard, entusiasta de este proyecto y cómplice de la idea de enseñanza que implica.

Espero que disfruten este libro lleno de buenos poemas y que a través de ellos recuerden algunos de los momentos entrañables que hemos vivido juntos estos dos años gracias a la poesía.

POETAS EN CASA ÉMORY

ROXANA MÉNDEZ
(El Salvador, 1979)

Callaway,
14 de septiembre de 2015

Translation by Natasha Cline

VASTEDAD

Primero es el silencio,
luego una lengua muerta que susurra.

Veo la vastedad de la sabana,
lo largo y ancho del paisaje
y también más allá
hasta donde mis ojos
llegan y no retornan
para devolverme una imagen.

Mi pupila se vuelve territorio,
lo veo todo
y lo presiento todo:
la raiz que quiere salir,
la savia que circula
en los pequeños árboles
que come la jirafa,
y el sol en el cenit
cuyos rayos tocan el borde de la hierba
que jamás fue cortada,

esa que cubre el aliento
del león en el alba
y que un día fue el escondite
de ese primero de los hombres
que deambulaba
en soledad.

VASTNESS

First, all is silence,
then a dead language that whispers.

I see the vastness of the savannah,
the length and breadth of the landscape
and also further on
as far as my eyes
can go and not return
to bring me back an image.
My pupils become the territory.

I see everything
and sense it all:
the root that wants to bloom,
the sap that circulates
through the tiny trees
that the giraffe eats,
and the sun at its zenith
whose rays touch the edge of grass
which has never been cut,

that which conceals the breath
of the lion at daybreak
and was once the hiding place
of that first human
who wandered
alone.

JORGE GALÁN
(El Salvador, 1973)

Casa Émory,
16 de septiembre de 2015

MINIATURA ASOMBROSA

Alguien puso semillas en mi mano:
treinta árboles mañana,
un bosque cincuenta años más tarde.
Aves encontrarán el sur en esos árboles
y lobos encontrarán cobijo
y las hormigas crecerán como un cuerpo
entre las raíces ciegas y soñolientas
y alguna vez una casa y otra casa
construirán esas maderas
y el invierno bajará en sedimentos
y el otoño con su total hastío
pondrá sus pies pesados
sobre los troncos gruesos y no los vencerá.
Nada hará que se quiebren.
Y dentro de cien años cien hombres
serán hombres felices amando a sus mujeres
bajo esos techos amplios,
un perfume de bosque flotará todavía
en los hijos que lleguen,
el mundo será el mundo y la noche la noche
las lechuzas de entonces tendrán ojos más grandes
y comerán gorriones lo mismo que alacranes
y el ratón será mínimo como un insecto extraño,
su pálida pelambre lo volverá invisible
de noviembre a febrero, y no tendrá enemigo:
ni el águila ni el hombre, si acaso, la serpiente.
Treinta árboles mañana,
Flores malvas y rojas creciendo en ese bosque...

AMAZING MINIATURE

Someone put seeds in my hand:
thirty trees tomorrow,
a forest fifty years later.
Birds will find their way south in those trees
and wolves will find shelter
and ants will grow like a body
among the blind and dreaming roots
and sometimes a house and another house
will be built by these boards
and winter will drop its sediment
and autumn with its absolute boredom
will place its heavy feet
upon the thick trunks and won't bend them.
Nothing can make them break.
And within a hundred years a hundred men
will be a hundred joyous men loving their women
under those wide canopies,
a forest's fragrance will still float
about the children that arrive,
the world will be the world and the night the night
the owls from that time will have wider eyes
and they'll eat sparrows as well as scorpions
and the mouse will be minimal like a strange insect,
its pale pelt will turn it invisible
from November to February, and it will have no enemies:
neither the eagle, nor man, just maybe the snake.
thirty trees tomorrow,
violet and red flowers growing in that forest . . .

Ayer, unas semillas que alguien puso en mi mano
y que yo lancé al cielo.

Yesterday, a few seeds that someone put in my hand
and that I threw into the sky.

LA PRIMERA MEMORIA

Era una mano roja con lunares. Al frente,
una luz que por muchos años supuse que era la de un faro,
pero no estábamos en un puerto,
el bullicio que oíamos no era el mar,
era otra cosa lo que llegaba y cubría nuestros pies,
no eran gaviotas sino simples palomas las sombras en el cielo.
Sé cuál esquina era en la que estábamos parados.
Atrás se hallaba el mundo y adelante la noche.
Sus ojos me mostraban todo lo perdido.
Para mí la vida había sido el patio de una casa.
Bajo sus pies de algo me hablaba
    de tierras más lejanas.
Su rostro poseía el color de la madera de los muelles.
Su cabello era el norte.
Él me dijo que la sombra del conejo se deshace en la nieve,
también me dijo que ninguna casa podía ser un país entero,
que un armario no podía ser un castillo,
pero que un patio, aun vacío, podía ser el mar.
No recuerdo su voz pero sí el silbato
    de un barco que llega.
Las islas al fondo son edificios pero aún no lo sé.
Más allá, la lejanía no es más enorme que mis ojos.
Casi ciego, tomo su mano y cruzo una calle.
Ahí comienza el mundo para mí.
Antes, sólo la sombra, la temprana luz de la madrugada
sobre la hierba seca o la lluvia
como un millar de empecinados relojes de cuerda
que alguien dejó sobre el tejado.

FIRST MEMORY

It was a red hand with moles. In front,
a light that for many years I supposed was from a lighthouse,
but we weren't in a seaport,
the hubbub that we heard wasn't the sea,
it was something else that came and covered our feet,
the shadows in the sky weren't seagulls but simple pigeons.
I know which corner it was where we were stopped.
Behind was the world and ahead the night.
His eyes showed me all that was lost.
For me life had been the patio of a house.
Beneath his feet he told me something
    about more distant lands.
His face had the color of the wood from the piers.
His hair was the North Pole.
He told me that a rabbit's shadow melts away in the snow,
also he told me that no house could be an entire country,
that an armoire couldn't be a castle,
but that a patio, even empty, could be the sea.
I don't remember his voice, but I sure do the whistle
    of an approaching ship. The islands in the background
    are buildings, but I still don't know it.
Farther on, the distance isn't any larger than my eyes.
Almost blind, I take his hand and cross a street.
There the world begins for me.
Before, only shadows, the early light of dawn
on the dry grass or the rain
like a thousand stubborn windup watches
that someone left on the roof.

GORDON MCNEER
(Estados Unidos, 1943)

Casa Émory,
23 de septiembre de 2015

Translation by Raquel Lanseros

EASY RIDER

A Bob Dylan

Nadie sabe quién te hizo la foto
en la Paynes Prarie aquel día.
Podría haber sido Janabanana, Susan o Ron.
Desde este recóndito lugar pareces seguro,
como si tuvieras el control, y algo nostálgico.

La película salió en el 69, junto con todo lo demás.
Por aquel entonces, todos los políticos habían muerto
    JFK, Bobby y
Martin ya no estaban, víctimas los tres
    de un pistolero solitario.
La ofensiva del Tet seguía con nosotros,
    como un mal viaje de ácido.
Nuestro gobierno asesinaba a sus niños: sé el primero
    del barrio en tener a tu hijo de vuelta a casa
    en una caja.

Jim, Janice y Jimi aún estaban vivos.
    A John le quedaban once años de vida.
Las palabras de Dylan, ¿qué se siente, ahhh,
    qué se siente al estar sola,
sin camino a casa alguno, como una total desconocida,
    como una bala perdida?,
prendían nuestros corazones. Estábamos listos
    para cualquier cosa, excepto
para lo que nos esperaba.

EASY RIDER

To Bob Dylan

No one knows who took the picture
of you on Paines Prairie that day.
Could have been Janabanana or Susan or Ron.
From this distant land you look confident,
strangely in control and a little wistful.

The movie came out in 69 along with everything else.
By then the politicians had all died.
   JFK, Bobby and
Martin were gone, victims to a lone gunman,
    all three.
The Tet Offensive lingered with us
   like a bad acid trip.
Our government was killing its children, be the first one
    on your block to have your son come home
   in a box.

Jim, Janice and Jimi were still alive.
   John had eleven years to live.
Dylan's words how does it feel, ahhh,
   how does it feel, to be on your own,
with no direction home, like a complete unknown,
   like a rolling stone...
held our hearts to the fire. We were ready
   for anything, except
what was in store for us.

Woodstock, el verano del amor,
Bob Dylan, los Beatles,
los Rolling Stones, The Doors, The Who, Jimi Hendrix,
Eric Clapton, The Eagles, The Allman Brothers, David Bowie,
Janice Joplin, Creedence Clearwater, Neil Young,
Jefferson Airplane, The Grateful Dead, Elton John,
The Beach Boys,
The Velvet Underground, The Doobie Brothers,
Fleetwood Mac,
James Taylor, Leonard Cohen, Cream, Crosby,
Stills & Nash,
The Mamas and The Papas, Santana, Simon and Garfunkel,
Johnny Cash, Jethro Tull, the Yardbirds, Roy Orbison,
Sly and the Family Stone, Jefferson Airplane,
Three Dog Night,
The Band, Chicago, Rod Stewart, The Byrds,
Buffalo Springfield,
The Mothers of Invention, Joni Mitchel, Joan Baez,
Cat Stevens,
John Denver, Van Morrison, Joe Cocker, Leon Russell,
Nina Simone,
Miles Davis, John Coltrane, Charles Mingus, Canned Heat...
todos dejaron su marca el día que la música murió.

Y aquellos amigotes bebían whiskey de centeno mientras cantaban: este será el día que muera, este será el día que muera.

Alguno de vosotros pregunta por la máscara de gas.
Mientras este capítulo de su vida

Woodstock, the Summer of Love,
Bob Dylan, the Beatles,
the Rolling Stones, the Doors, the Who, Jimi Hendrix,
Eric Clapton, the Eagles, the Allman Brothers, David Bowie,
Janice Joplin, Creedence Clearwater, Neil Young,
Jefferson Airplane, the Grateful Dead, Elton John,
the Beach Boys,
The Velvet Underground, the Doobie Brothers,
Fleetwood Mac,
James Taylor, Leonard Cohen, Cream, Crosby,
Stills and Nash,
the Mamas and the Papas, Santana, Simon and Garfunkel,
Johnny Cash, Jethro Tull, the Yardbirds, Roy Orbison,
Sly and the Family Stone, Jefferson Airplane,
Three Dog Night,
The Band, Chicago, Rod Stewart, the Byrds,
Buffalo Springfield,
the Mothers of Invention, Joni Mitchel, Joan Baez,
Cat Stevens,
John Denver, Van Morrison, Joe Cocker, Leon Russell,
Nina Simone,
Miles Davis, John Coltrane, Charles Mingus, Canned Heat...
all had left their mark by the day the music died.

And them good old boys were drinking whiskey and rye
singing this'll be the day that I die, this'll be the day that
I die.

Some of you ask about the gas mask.
As this chapter in his life was

llegaba al final, Easy Rider se fue a Washington
    a protestar
por la guerra de Vietnam, por la Masacre de la Kent State,
    por Watergate
y por el bombardeo de Navidad de Hanoi.
Una máscara de gas resultaba muy útil en esas ocasiones.

Esto es una Triumph Daytona 500, con dos carburadores,
    mucha fuerza y un perfecto equilibrio:
El sueño de un borracho, si es que alguna vez vi uno.

coming to a close, Easy Rider went to Washington
    to protest
the Viet Nam war, the Kent State killings,
    Watergate
and the Christmas bombing of Hanoi.
A gas mask was very useful on those occasions.

That's a Triumph 500 Daytona, twin carbs,
    lots of torque and perfect balance:
A drunkard's dream if I ever did see one.

FEDERICO DÍAZ-GRANADOS

(Colombia, 1974)

Casa Émory,

7 de octubre de 2015

HOSPEDAJE DE PASO

Nunca he conocido a los inquilinos de mi vida.
No he sabido cuando salen, cuando entran,
en qué estación desconocida descansan sus miserias.
Las mujeres han salido de este cuerpo a los portazos
quejándose de mi tristeza,
en algunas temporadas se han quejado de humedad
de mucho frío, de algún extraño moho en la alacena.
Se marchan siempre sin pagar los inquilinos de mi vida
y el patio queda nuevamente solo
en este hotel de paso donde siempre es de noche.

ROADHOUSE

I’ve never known the tenants in my life.
I haven’t known when they come, when they go,
in what undisclosed season they put their misfortunes to rest.
Women have left this body slamming the door
complaining about my sadness,
on some occasions they have complained about dampness,
of intense cold, of some strange mildew in the pantry.
The tenants in my life always leave without paying
and the patio is once again abandoned
in this roadhouse where it’s always nighttime.

NOTICIA DEL HAMBRE

Me habita el hambre. Y todos me lo dicen.
No es el miedo ni la duda
apenas un ritmo intacto que no toca
    con su sal la orilla.
Es el hambre, quizá un leve testamento
o esta insistencia en destruir la casa
y renovar la piedra en sueño.
Es poco lo que recuerdo de mí a esta hora,
    el disperso,
el que a la intemperie es un poco de hierba,
una palabra sin traje con olor a otras tierras
y que mira con cara de extranjero
    todas las prestadas alegrías.
Llega el hambre con su mismo azar y su idéntico
    augurio.
La lluvia está debajo de la carne
y pocas cosas recuerdan al viejo amor
que ya no cuenta.
Es el hambre. Y todos me lo dicen.
No es el leve testamento ni la tristeza
    de las noches.
No es la poesía
ni la música que traduce el tiempo.
Un poco de hambre
y el cansancio de llenar la estantería de ausencias.

HUNGER NOTICE

Hunger dwells within me. And everyone tells me so.
It's not fear or doubt
scarcely a rhythm intact that doesn't bring misfortune
    to the shore.
It's hunger, perhaps a venial testament
or this insistence on destroying the house
and renewing the stone while asleep.
What I remember of myself at this moment is little,
    the dispersed one,
the one who in the great outdoors is a bit of grass,
a word without frills that smacks of other lands
and that looks on with a stranger's face
    at all the borrowed joy.
Hunger arrives with the same randomness
    and its identical foreboding.
the rain is deep beneath the flesh
and few things recall the old love
that no longer matters.
It's hunger. And everyone tells me so.
It's not a venial testament or the sadness
    of nights gone by.
It isn't poetry
or the music that time interprets.
A little hunger
and the weariness of filling the bookcase with absences.

ALÍ CALDERÓN
(México, 1981)

Casa Émory,
14 de octubre de 2015

POBRE VALERIO CATULO

A quién darás hoy tus versos, infeliz Catulo?
sobre qué muslos posarás la mirada?
    Qué cintura rodeará tu brazo?
cuáles pezones y cuáles labios habrás
    de morder inagotable hasta
el hastío?
Termine ya la dolorosa pantomima:
    fue siempre Lesbia,
exquisito poeta, caro amigo,
un reducto inexpugnable.
A qué recordar su mano floreciente
    de jazmines
o aquellos leves gorjeos
sonando tibios en tu oído?
para qué hablar del amor o del deseo si ella
    es su imagen misma?
por qué evocarla y consagrarle un sitio perdurable
    en la memoria?
por qué Catulo?
por qué?
Que tus versos no giren más en torno a sus jeans,
    a su blusa sisada,
que tu cuerpo se habitúe a esa densa soledad absurda
    y prematura,
que su nombre y su figura de palmera
    y su mirada de gladiola
se pierdan, poco a poco,
ineluctablemente y de modo irreversible,

POOR VALERIO CATULO

Who will you give your poems to today, wretched Catulo?
on which thighs will you rest your gaze?
    What waist will your arm encircle?
which nipples and which lips will you have to bite
    tirelessly to the point
of ennui?.
Put an end finally to the sorrowful pantomime:
    Lesbia was always,
exquisite poet, dear friend,
an impregnable redoubt.
What's the point of remembering her hand resplendent
    with jasmine,
or those light gurglings
whispering warmly in your ear?
what's the point of speaking of love or desire if
    she is their very image?
why evoke her and consecrate a lasting place
    in your memory for her?
why, Catulo?
why?
May your poems no longer revolve around her jeans,
    her tight blouse,
may your body get used to that absurd and premature
    heavy solitude,
may her name and her palm tree figure
    and gladiola look
be lost, little by little,
inevitably and in an irreversible way,

en el incierto y doloroso
ir y venir de los días.
Y que a nadie importe si se llamaba Denisse, Clodia
    o Valentina
qué caso tiene pobre Valerio Catulo?
    qué caso tiene?

in the uncertain and sorrowful
comings and goings of the days.
And may nobody care if her name was Denisse, Clodia
    or Valentina
what difference does it make, poor Valerio Catulo?
    What difference does it make?

RAQUEL LANSEROS
(España, 1973)

Casa Émory,
26 de octubre de 2015

A LAS ÓRDENES DEL VIENTO

Para todos los que sienten que no están al mando

Me habría gustado ser discípula de Ícaro.
Hubiera sido hermoso festejar
las bodas de Calixto y Melibea.
Me habría gustado ser
un hitita ante la reina Nefertari
el joven Werther en Río de Janeiro
la deslumbrante dama sevillana
por la que Don José rechazó a Carmen.
Yo quisiera haber sido el huerto del poeta
con su verde árbol y su pozo blanco
el inspector fiscal
con el que conversara Maiakovski.
Me habría gustado amarte. Te lo juro.
Sólo que muchas veces la voluntad no basta.

ANY WAY THE WIND BLOWS

For all those who feel that they aren't in control

I would have liked to be the disciple of Icarus.
It would have been beautiful to celebrate
the wedding of Calisto and Melibea.
I would have liked to be
a Hittite before Queen Nefertiti
young Werther in Rio de Janeiro
the dazzling lady from Seville
for whom Don José rejected Carmen.
If only I could have been the poet's grove
with its green tree and its white well
the fiscal inspector
with whom Mayakovski spoke.
I would have liked loving you. I swear it.
Only lots of times wishing doesn't make it so.

INVOCACIÓN

Que no crezca jamás en mis entrañas
esa calma aparente llamada escepticismo.
Huya yo del resabio,
del cinismo,
de la imparcialidad de hombros encogidos.
Crea yo siempre en la vida
crea yo siempre
en las mil infinitas posibilidades.
Engáñenme los cantos de sirenas,
tenga mi alma siempre un pellizco de ingenua.
Que nunca se parezca mi epidermis
a la piel de un paquidermo inconmovible,
helado.
Llore yo todavía
por sueños imposibles
por amores prohibidos
por fantasías de niña hechas añicos.
Huya yo del realismo encorsetado.
Consérvense en mis labios las canciones,
muchas y muy ruidosas y con muchos acordes.
Por si vinieran tiempos de silencio.

INVOCATION

May that apparent calm called skepticism
never grow in my belly.
May I flee from pedantry,
from cynicism,
from the impartiality of shrugged shoulders.
May I always believe in life
may I always believe
in thousands of infinite possibilities.
May the sirens' songs deceive me,
may my soul always have a pinch of naiveté.
May my epidermis never look like
the skin of a pachyderm, unyielding,
frozen.
May I still weep
over impossible dreams
over forbidden loves
over little-girl fantasies smashed to bits.
May I flee from corseted realism.
May songs remain on my lips,
lots of them and very loud and with lots of chords.
Just in case the times of silence return.

CARLOS ALDAZÁBAL
(Argentina, 1974)

Casa Émory,
28 de octubre de 2015

RÉQUIEM

Como esos ejes:
así daba vueltas el trompo de la infancia,
así se divertía el trompo bailador
mareándome el sentido de las cosas.
Una rueda se adentra en el camino
seguida por la otra
que le pisa la huella distraída
y se enrolla en sí misma
como un perro brillante.
Así mi bicicleta va rodando,
así me lleva
ahora que el rumbo no ha querido seguirme.
Pasamos por un bosque.
La bicicleta llora con su aceite oxidado
(que me extraña me dice)
y yo acompaño con el pie su lamento.
Así vamos llegando.
Los dos por las cornisas
del viejo purgatorio,
tramo final donde la piedra
presagia la caída.
Orquesta del destino.
Hacen un dúo la sangre y el aceite.

REQUIEM

Like those axles:
that's how my childhood top kept spinning,
that's how the dancing top had fun
confusing me about the meaning of things.
One wheel advances along the road
followed by the other one
that runs over its track distractedly
and curls up on itself
like a sleek dog.
That's how my bike rolls on,
that's how it carries me
now that the path won't follow me.
We pass through a forest.
The bike weeps with its rusty oil
(it says it misses me)
and I accompany its lament with my feet.
That how we make our approach.
The two of us on the edge
of our old purgatory,
the final stretch where the stone
foretells the fall.
Destiny's orquestra.
Blood and oil form a duet.

A MODO DE CONCLUSIÓN

Es un rostro asombrado el que me espía
por el cristal que cuelga del fracaso.
Es el rostro de un muerto.
Ayer han enterrado al que soñaba
con milagros marinos, con pesadillas
tales
como el rostro de un dios en el espejo,
como su rostro odioso sobre el mío,
como mi rostro espiándome la tierra,
mordiéndome en el sueño del cansancio.
Siempre es lo mismo.
Hoy no han traído flores a este sitio
y la tristeza es tanta
que uno se pone a escribir
y así se pasa el día.

BY WAY OF CONCLUSION

It's an astonished face that spies on me
through the glass that hangs from failure.
It's a dead man's face.
Yesterday, they buried one who dreamed
of maritime miracles, of nightmares
such
as the face of a god in the mirror,
as his loathsome face over mine,
as my face spying on the earth,
gnashing at myself in a fit of exhaustion.
It's always the same.
Today they haven't brought flowers to this place
and the sadness is such
that one sets about writing
and thus gets through the day.

LUIS GARCÍA MONTERO
(España, 1958)

Casa Émory,
2 de noviembre de 2015

DEDICATORIA

Si alguna vez la vida te maltrata,
acuérdate de mí,
que no puede cansarse de esperar
aquel que no se cansa de mirarte.

DEDICATION

If life sometimes mistreats you,
remember me,
since one who never tires of looking at you
can never grow tired of waiting.

LA AUSENCIA ES UNA FORMA DEL INVIERNO

Como el cuerpo de un hombre derrotado en la nieve,
con ese mismo invierno que hiela las canciones
cuando la tarde cae en la radio de un coche,
como los telegramas, como la voz herida
que cruza los teléfonos nocturnos
igual que un faro cruza
por la melancolía de las barcas en tierra,
como las dudas y las certidumbres,
como mi silueta en la ventana,
así duele una noche,
con ese mismo invierno de cuando tú me faltas,
con esa misma nieve que me ha dejado en blanco,
pues todo se me olvida
si tengo que aprender a recordarte.

ABSENSE IS A FORM OF WINTER

Like the body of a man cast down in the snow,
with that same winter that freezes songs
when the afternoon falls on the car radio,
like telegrams, like the wounded voice
that crosses over the telephone wires at night
the same as light from a lighthouse that crosses
over the melancholy of boats run aground,
like doubts and certainties,
like my silhouette at the window,
one night hurts like this,
with that same winter when you aren't with me,
with that same snow that has left me empty,
I'll forget about everything
if I have to learn to remember you.

JAVIER BOZALONGO

(España, 1961)

Casa Émory,

11 de noviembre de 2015

CARTA A UN LECTOR

Se tarda aproximadamente
veintisiete minutos,
si tienes la vista acostumbrada,
en terminar un libro de unas sesenta páginas.

El índice no cuenta, ni las dedicatorias,
ni las hojas que nombran cada parte
ni las números pares que a veces van en blanco.

Ya ves lo que te queda: en cuatrocientos versos
ha dejado en tus manos su vida este poeta.

No te pido que te muestres amable
o seas indulgente,
no te quiero entregado
ni cómplice ni falso.

Sólo quiero contigo volver a andar lo andado.

LETTER TO A READER

It takes approximately
twenty-seven minutes,
if your eyes are well atuned,
to finish a book of some sixty pages.

The table of contents doesn't count, or the dedications,
or the pages that name each section,
or the even numbered pages that are sometimes blank.

Now you see what remains: in four hundred lines
this poet has left his life in your hands.

I'm not asking you to be kind,
or to be indulgent,
I don't want you to be a pushover
or in cahoots or fake.

I only want to live those moments with you one more time.

ÁNGEL DE OTOÑO

El otoño en los parques de Granada
y muchos de sus bares
son lugares propicios
para seguir leyéndote.

Un whisky compartido con amigos
deja en la boca un sabor menos áspero
que el aliento de los que siempre creen
estar en posesión de la verdad.

Vuelves de madrugada, con el convencimiento
de que aún es posible
explicarles a ciertas cucarachas
que este país cambió a pesar de todo.

En la república soñada
has vuelto a pasear con Federico
mientras Falla entonaba las canciones
de un país de palabras.

AUTUMN ANGEL

Autumn in the parks of Granada
and many of its bars
are perfect places
to keep on reading you.

A whiskey shared with friends
leaves a taste less bitter on our lips
than the breath of those who always think
they are in possession of the truth.

You get home at dawn, dead sure
that it is still possible
to explain to certain cockroaches
that this country has changed in spite of everything.

In the republic of your dreams
you have gone back to strolling with Federico
while Falla was intoning the songs
for a country made of words.

ELVIRA SASTRE
(España, 1992)

Casa Émory,
16 de noviembre de 2015

PAÍS DE POETAS

Hoy a España le han dado una paliza,
el último parte indica agonía,
y llora como un cachorro abandonado en la cuneta
mientras susurra llena de pánico:
se están llenando mis puentes.
Y yo la miro
con los ojos llenos de justicia
y le digo:
aguanta, te salvaremos los supervivientes.
En la calle solo queda vivo un hambre feroz
que aterra:
el canibalismo de un capitalismo devorador.
Quien dice defendernos nos acaricia
y nos deja la cara llena de sangre:
un abrazo falso duele más que una puñalada...
y lo saben.
Quieren rajar nuestras gargantas
y nutrirnos de sus restos,
atar la libertad de pies y manos y lanzarla al mar
como quien ahorca con saña los derechos humanos.
Son culpables de todo este daño
y no saldrán indemnes:
este aullido en su oído pronto se convertirá en dentellada.
Seguimos siendo salvajes humanos
dentro de su circo,
pero terminará la función y destrozaremos su
sonrisa de payaso.

COUNTRY OF POETS

Today they have given Spain a beating,
the final part signals death throes
and she's crying like a puppy abandoned in a ditch
while she whispers panic-stricken:
my bridges are overflowing.
And I look at her
with my eyes full of justice
and I say:
hang in there, we survivors will save you.
In the streets the only living thing is a ferocious hunger
that terrifies:
the cannibalism of an all-consuming capitalism.
Those who advise our defending ourselves caress us
and leave our faces covered with blood:
a false embrace hurts more than being stabbed...
and they know it.
They want to cut our throats
and nourish us with the remains,
tie liberty by her hands and feet and throw her into the sea,
like someone who hangs human rights in a rage.
They are to blame for all this harm
and they won't escape unscathed:
this howling in their ears will soon turn into biting.
We keep on being human savages
inside their circus,
but the show will end and we will destroy
their clownish smiles.

Os estamos descubriendo
y la rabia fluye por nuestras venas
junto al hambre, la pobreza y la injusticia,
quién os lo iba a decir:
cabe más humanidad en estos cuerpos
que mierda en todos vuestros discursos.
Hoy España huele a podrido,
aunque yo la siento más guapa que nunca
cuando bajo a comprar al mercado
en ese puesto que está a punto de cerrar
y me desean buen día
o cuando veo a un estudiante
ceder su asiento a una mujer con una pensión de mierda
que sonríe con esa resignación
de quien ha vivido de paz a guerra
    de paz a guerra
de paz a guerra de paz a...
Parece que cada mañana el pueblo grita:
"Nos quedamos para salvarte,
España."
Y el pueblo nunca miente.
Y vosotros escuchad,
soltad los hilos corruptos de vuestras manos
y mirad hacia abajo,
cerrad vuestra boca llena de humo negro
y abrid bien vuestros oídos viciosos:
solo aquel que no tiene nada
tiene todo.
Nos habéis convertido en el ejército más poderoso:
ese que no tiene nada que perder.

We're unmasking you
and rage flows through our veins
together with hunger, poverty and injustice,
who was going to tell you:
more humanity fits in these bodies
than shit in all your speeches.
Today Spain smells rotten,
even though I find her prettier than ever
when I go down to shop in the market
at that stand that is about to close
and they wish me a good day
or when I see a student
offer his seat to a woman with a shitty pension
who smiles with that resignation
of someone who has lived from peace to war
    from peace to war
 from peace to war from peace to...
It seems that every morning the people cry out:
"We stand firm to save you,
Spain."
And the people never lie.
And listen, you,
turn loose the corrupt lines of power from your hands
and look down,
close your mouths full of black smoke
and open your depraved ears:
only one who has nothing
has it all.
You have turned us into the most powerful army:
the one that has nothing to lose.

Y vamos a por vosotros,
armados hasta los dientes de valor,
escudados con una resistencia caníbal
y con un amor violento por la supervivencia.
Jamás debisteis usar a las palabras en vano:
vivís en un país lleno de poetas.

And we're coming for you,
armed to the teeth with courage,
shielded by a savage resistance
and by a fierce love of survival.
You should have never used words without thinking:
you live in a country full of poets.

ADRIANA MORAGUES

(España, 1987)

Casa Émory,

16 de noviembre de 2015

TENGO UN PLAN

Tengo un plan...
trazado, desde que te vi llegar,
anunciando un invierno sin paz.

Tengo un plan...
desde que salió tu nombre al azar,
y la suerte vistió la casualidad.

No sé si se vendrá...

Y es que...
quiero conjugar contigo todos los verbos
que acaben en arte.
Perderé mi miedo, si se trata
de salvarte a ti.
Si se trata de salvarte a ti...

Yo le prometí...
que me quedaría en su jardín
y le fabricaría sueños para dormir.

Yo le prometí...
que le daría motivos para reír,
que nunca más tendría que volver a huir,
y menos de mí.

Ahora yo alzo mi voz...
Ahora yo alzo mi voz...

I HAVE A PLAN

I have a plan . . .
sketched out, since I saw you arrive,
announcing a restless winter.

I have a plan . . .
since your name came up out of the blue
and chance was cloaked in good fortune.

I don't know if it will come about . . .

It's just that . . .
I want to conjugate with you all the verbs
that end in heartfelt.
I will lose my fear . . . if it's about
saving you.
If it's about saving you . . .

I promised her . . .
that I would stay in her garden
and I would shape dreams for her to help her sleep.

I promised her . . .
that I would give her reasons to laugh,
that she would never have to flee again,
and even less from me.

Now I set my voice free . . .
Now I set my voice free . . .

Ahora yo alzo mi voz, alzo mi voz....
Ahora yo alzo mi voz... porque me dijo
que sí.

Quiero conjugar contigo todos los verbos
que acaben en arte.
Perderé mi miedo... si se trata
de salvarte a ti.
Si se trata de salvarte a ti.

Quiero conjugar contigo todos los verbos
que acaben en arte.
Perderé mi miedo... si se trata
de salvarte a ti.
Si se trata de salvarte a ti.

Now I set my voice free, I set my voice free . . .
Now I set my voice free . . . because she said yes
to me.

I want to conjugate all the verbs
that end in heartfelt.
I will lose my fear . . . if it's about
saving you.
If it's about saving you . . .

I want to conjugate with you all the verbs
that end in heartfelt.
I will lose my fear . . . if it's about
saving you.
If it's about saving you.

LUIS CORREA DÍAZ
(Chile, 1961)

Casa Émory,
2 de febrero de 2017

NANAS DEL SIGILO PARA IRENE

n1 [en Orange Walk]

creo ver la luna sobre tu vientre
reflejada haciendo un nido
para dejarte un collar verde
de palabras que no son palabras
ni pájaros que hablan pajarístico
todo parece ser un silencio
jadeante y biscoso que te ahoga
porque sabes que no hay mayor
gozo que ese llanto sangriento
que te anuncia y que te muestra
que la gloria de la vida reptil
me la cantas tú como una nana
mientras nos arrastra la marea
turbia de oxitocina hacia la orilla
en paz de nosotros mismos

n2 [en Caye Caulker]

si la luna se queda en tu vientre
y te lo abulta con un ramo azul
de palabras que no son palabras
ni mariposas que leen la mente
sino que un vaso lleno de agri
dulce horchata que se enciende
en tus adentros para que tú
por tu boca muda nos vengas

3 NANAS, CONFIDENTIALLY TO IRENE

n1 [in Orange Walk]

I think I see the moon reflected
on your belly making a nest
to leave a green necklace there
of words that are not words
nor even birds talking pajarístico
everything seems to be a panting
thicker silence that suffocates you
because you know that there is no
greater joy than that crying in blood
announcing and showing you
that the glory of our reptilian life
is now being sung by you to me
in the form of Marley's lullaby
while a turbid tide of oxytocin
drags us toward the shore of
you and me alone and together
finally resting in peace

n2 [in Caye Caulker]

if the moon came to stay in your belly
and bulges you with a blue bouquet
of words that are not words
nor even mind-reading butterflies
but a full glass of bittersweet
horchata to light your navel

a cantar una nana entonces yo
me moriría alabando tu nombre
mientras nos dejamos ir el uno
del otro en natación acordada
sobre la cresta de una corriente
saturada de endorfínico plankton

n3 [en Belize City]

ya que la luna se tomara tu vientre
alojándose redonda y luminosa
por imperativo decreto de la noche
con palabras que no son palabras
ni serpientes de ululante veneno
apenas siendo gratos nosotros
huéspedes de tan espléndidas
acrobacias de ese magnetismo
suyo para propiciar tu gravidez
sólo por mí soñada aquí contigo
en el corazón que maduro te invita
a cantarnos esta nana del sigilo
me dispongo a dormirme el hambre
hasta que no me despierte tu voz

for you to sing us that mid-1800's
lullaby painted by F. N. Riss
then after I'd die praising your name
as we let go of each other in an
synchronized swimming on the top of
a wave of endorphin-laden plankton

n3 [in Belize City]

since the moon took your belly
by asault -round and bright
following a nocturnal imperative
with words that are not words
nor even snakes' ululating poison
us just being no more than grateful
guests of such splendid acrobatics
propitiating out of her magnetism
your pregnancy only imagined by me
but playing with you in my mature
heart as a melismatic invitation
for you to sign us this stealth lullaby
I prepare myself to sleep my hunger
until your voice finally wakes me up

RICHARD BLANCO
(Estados Unidos, 1968)

Oxford Building,
8 de febrero de 2017

Translation by Eduardo Aparicio

ONE PULSE, ONE POEM

En honor a la vida y la memoria de las víctimas de la tragedia de Pulse y para ayudarnos a todos a sanar.

Ven, siéntate a mi mesa, debemos escribir esto
juntos. Tómate un buchito de café con leche, respira
su aroma y enfrentemos con valor esta página, tan
desolada como desolado es nuestro dolor.
Aferra tus dedos a los míos, aferrados
a mi pluma, sujetándola como un talismán en nuestras manos
temblorosas, los ojos inflamados. Pero no empecemos
con lágrimas,
ni con ráfagas de luces intermitentes, ni sirenas,
ni con el susurro de la voz
en el celular cuando escuchaste «Te amo...»
por última vez. No. Vayamos pautadamente,
que las primeras palabras celebren la plenitud de la mañana,
del sol exhalando luz entre las nubes. Imaginemos
un coro de gorriones en mi ventana,
escuchemos de su canto
la invocación: bendición-bendición-bendición.
Empieza la segunda estrofa con ese viento fuerte
que estremecelas palmas, pero que calma nuestra mente
lo suficiente
para escribir estas palabras: balas, cuerpos, muerte
—vocablos
de la violencia que rugen en nuestra conciencia,
pero todavía mudos,
en la garganta un nudo. Deja espacios en blanco
para un momento

ONE PULSE, ONE POEM

To honor lives and memory of the victims
of the Pulse tragedy, and to help us all heal.

Here, sit at my kitchen table, we need to write this
together. Take a sip of café con leche, breathe in
the steam and our courage to face this page, bare
as our pain.
    Curl your fingers around mine, curled
around my pen, hold it like a talisman in our hands
shaking, eyes swollen. But let's not start
    with tears,
or the flashing lights, the sirens,
    nor the faint voice
over the cell phone when you heard "I love you…"
for the very last time. No, let's ease our way into this,
let our first lines praise the plenitude of morning,
the sun exhaling light into the clouds. Let's imagine
songbirds flocked at my window,
    hear them chirping
a blessing in Spanish: bendición-bendición-bendición
Begin the next stanza with a constant wind trembling
every palm tree, yet steadying our minds
    just enough
to write out: bullets, bodies, death
    —the vocabulary
of violence raging in our minds,
    but still mute, choked
in our throats. Leave some white space
    for a moment

de silencio, y luego llénalos con versos de cadencias
    y de ritmos
que marcaron en Pulse el pulso de la noche
    — ritmos de salsa, de deep house,
de electro, de merengue, de latidos de corazón techno
mezclado con
balazos. Detén los ecos de ese estribillo sin piedad
con la ternura de un símil que honre la sangre
    de nuestra sangre,
sin escribir sangre. Usa palabras cálidas para describir
el cuerpo frío de nuestros esposos,
amantes y esposas,de nuestras hermanas, hermanos
    y amigos. Imagina una metáfora
para que podamos imaginar el coro de sus espíritus invisibles
elevarse con el humo a las luces de la disco, imaginándonos
en un baile con ellos hasta el mismísimo fin.
Escribe una estrofa más. Ahora. Haz arder la página
con la furia de este vacío que nos duele hasta el tuétano,
con la furia por este nuevo odio, igual que el viejo odio
al color de la piel, al acento en la voz,
al amor por los que no se supone que amemos.
La furia por la voz de la política armada de mentiras,
    por el miedo
que somete a punta de cañón la democracia.
    Pero no terminemos
aquí. Da al poema un giro, busca los detalles de amor
en las vidas perdidas, vivas todavía en fotos, dispérsala
sobre la mesa, danos el brillo de sus ojos rebosantes
de deseosobre velas de cumpleaños, sus castillos de arena
inacabados,sus primeras bicicletas de niño, sus orejitas
    de Mickey Mouse, sus tiaras.

of silence, then fill it with lines repeating
    the rhythms
pulsing through Pulse that night
    —salsa, deep house,
electro, merengue, and techno heartbeats
    mixed with
gunshots. Stop the echoes of that merciless music
with a tender simile to honor the blood
    of our blood,
without writing blood. Use warm words to describe
the cold bodies of our husbands, lovers, and wives,
our sisters, brothers
    and friends. Draw a metaphor
so we can picture the choir of their invisible spirits
rising with the smoke toward disco lights, imagine
ourselves dancing with them until the very end.
Write one more stanza—now. Set the page ablaze
with the anger in the hollow ache of our bones—
anger for the new hate, same as the old kind of hate
for the wrong skin color, for the accent in a voice,
for the love of those we're not supposed to love.
Anger for the voice of politics armed with lies,
    fear
that holds democracy at gunpoint.
    But let's not
end here. Turn the poem, find details for the love
of the lives lost, still alive in photos—spread them
on the table, give us their wish-filled eyes glowing
over birthday candles, their unfinished sand castles,
their training-wheels,
    Mickey Mouse ears, tiaras.

Muestra la piel imperfecta de sus rostros en el álbum
escolar, sus sonrisas plateadas
y sus poses rígidas en el baile de graduación,
sus togas y birretes,
sus amores —los primeros, los verdaderos—. Y luego
comparte el último de sus selfies. Elevemos cada memoria
como una estrella, la luz de su pasado que nos llega ahora
y por siempre, que nos recuerda seguir escribiendo hasta
que no tengamos que volver a escribir otro poema como este,
nunca jamás.

Show their blemished
    yearbook faces, silver-teeth
smiles and stiff prom poses,
    their tasseled caps
and gown, their first true loves. And then share
their very last selfies. Let's place each memory
like a star, the light of their past reaching us now,
and always, reminding us to keep writing until
we never need to write a poem like this
    again.

MARWAN
(España, 1979)

Casa Émory,
16 de febrero de 2017

EL ANTES Y EL DESPUÉS

La mirada que precede al amor.
La copa que precede al beso.
El beso que precede a la alcoba,
El fuego que precede a la ternura.
Las flores que preceden a la espina.
La desgana que precede a la pregunta.
Los malentendidos que preceden a las ruinas.
La herida que precede a la ruptura.
La ruptura que precede al desengaño.
El desengaño que precede al dolor.
El dolor que precede a la madurez.
La madurez abriéndote otras puertas,
otros corazones,
y así siempre,
todo en la vida
en un ciclo inagotable,
amor y desamor
todo dispuesto —tan solo—
para que tú puedas crecer.

BEFORE AND AFTER

The glance that precedes love.
The glass that precedes the kiss.
The kiss that precedes the bedroom.
The fire that precedes tenderness.
The flowers that precede the thorn.
The indifference that precedes the question.
The misunderstandings that precede ruins.
The wound that precedes the rupture.
The rupture that precedes disillusionment.
The disillusionment that precedes suffering.
The suffering that precedes maturity.
The maturity opening other doors for you,
other hearts,
and always like this,
throughout life,
in an endless cycle,
love and love lost
all in order—and only for this reason—
so that you may grow.

JUSTO A TIEMPO

Casi siempre es tarde cuando comprendes
que era a ti a quien deberías quererte.
Y sin embargo, siempre que lo haces
ese amor llega justo a tiempo.

JUST IN TIME

It's almost too late when you understand
that it was you whom you should have loved.
And, nonetheless, as soon as you do,
that love arrives just in time.

DANIEL RODRÍGUEZ MOYA

(España, 1973)

Casa Émory,

28 de febrero de 2017

EL CORAZÓN DE UN HOMBRE FUSILADO

El corazón de un hombre fusilado
se parece a los bosques que crecen hacia dentro
y se vuelven oscuros.

Nadie quiere adentrarse,
pisar sus ramas húmedas,
las raíces comidas por el musgo
en caminos idénticos
que aseguran perderse,
no enconrar la salida.

El corazón de un hombre fusilado
es un sendero extraño que otros hombres
alguna vez tendrán que transitar
solos, sin más ayuda
que el latir pertinaz de la memoria.

HEART OF A MAN SHOT DEAD

The heart of a man shot dead
is like forests that grow inwardly
and then turn dark.

No one wants to go inside,
step on their damp branches,
roots consumed by moss
along indistinguishable roads
that ensure our becoming lost,
not finding a way out.

The heart of a man shot dead
is a strange path that other men
some time will have to travel
alone, with no more help
than memory's stubborn heartbeat.

LAS COSAS QUE CONOZCO

La mitad de las cosas que conozco
caben en una mano
que roza las espigas por la tarde.
En ese rastro fino que deja la marea
como un hilo borroso de memoria imposible.

La mitad de las cosas que conozco
ya no están en la casa cubierta por la nieve
el invierno primero de acabada la guerra.
Tampoco en esa caja azul en la que guardo
una llave oxidada
para abrir los candados de la infancia.

La mitad de las cosas que conozco
caben en un poema.
Probablemente el resto no tengan importancia,
no sucedan nunca
o prefiera olvidarlas.

THINGS I KNOW

Half of the things that I know
fit in a hand
that caresses the corn tassels in the afternoon.
In that fine trace the tide leaves behind
like a blurry thread impossible to remember.

Half of the things that I know
are no longer in the house covered by snow
the first winter after the war's end.
Or in that blue box where I keep
a rusty key
to open the padlocks of my infancy.

Half of the things that I know
fit in a poem.
The rest probably don't matter,
they may never happen
or I might rather forget them.

JUAN PINILLA
(España, 1981)

Performing Arts Studio,
16 de marzo de 2017

CLUB DE LOS POETAS SUICIDAS

A Jean Michel Basquiat

¿Qué empujó a Jeff Buckley a flotar sobre un río
entre nubes de algodón y pétalos heridos?
¿qué llevó a Jimmy Hendrix al huerto de Baudelaire
por qué aquel Egea, de nombre Javier,
escribió el final de su soneto mortal?
¿Que deslizó la mano de Anne Sexton,
qué agitó los cabellos de Silvia Plath,
qué vinagre atravesó al Conde de Lautreamont
por qué Violeta Parra dejó de cantar?
¿Dio Gracias a la vida y enmudeció el cantor?
¿A qué cielo estrellado e infernal,
a qué cuervo entre los trigos persiguió Van Gogh?
¿Por qué no fue un tiro redentor
como el que libro a Salvador,
    Allende los mares?
Muerte con dignidad antes que vida
en manos de militares.
¿Qué golpe de luz ensordecedor
o qué ceguera terrible, terminal?
¿descubrieron que todo camino da a la soledad?
¿Descubrieron que no hay dioses
que nos puedan salvar?
Un baño de traiciones o de mentiras
o la frustrada utopía de un mundo ideal.
Una adicción al arte por donde respira
toda la belleza de un mundo

CLUB OF SUICIDAL POETS

A Jean Michel Basquiat

What moved Jeff Buckley to float down a river
among cotton clouds and wounded petals?
what carried Jimmy Hendrix to Baudelaire's grove
why did that Egea, by the name of Javier,
write the ending to his final sonnet?
What slipped through the hands of Anne Sexton,
what shook Sylvia Plath's hair,
what spleen coursed through the Conte de Lautreamont
why did Violeta Parra stop singing?
did the singer give thanks to life and then grow silent?
What starry and damned skies,
what crow did Van Gogh pursue through fields of wheat?
Why wasn't it a coup de grace
like the one that set Salvador Allende free from
    across the seas?
Death with dignity rather than life
in the hands of soldiers.
What blow of deafening light,
or what terrible, terminal blindness?
did they find out that every road leads to solitude?
Did they find out that there are no gods
that can save us?
A flood of betrayals or of lies
or the frustrated utopia of a world idealized.
An addiction to art through which breathes
all the beauty in a world

que no es tan noble como lo suelen cantar.
¿Por qué escogen la sombra infinita
aquellos rostros que tanto iluminan?
¿qué vil nubarrón genocida
acciona el mecanismo fatal y farmacéutico?
Punto y final de quien vivió la vida
para dejar todos sus libros como recién abiertos.

that isn't as noble as they often describe.
Why do they choose the infinite shadows
those faces that bring forth so much light?
what vile genocidal dark cloud
triggers the fatal and pharmaceutical device?
The final chapter for someone who lived life
only to leave all of his books as if they were still open.

JEREMY PADEN
(Italia, 1970)

Casa Émory,
23 de marzo de 2017

NO TODA LOCURA ES DECLIVE

alguna es vuelo, el subir
de un millón de alas
hasta oscurecerse el sol

alguna es abandono
de casa y nombre
y privilegios para errar

alguna es regalo

pero ¿cómo sabremos
si la bacía que brilla
sobre la cabeza del barbero

que monta su burro
hacia el poblado vecino
nos fue donada por los dioses
para protegernos de nigromantes?

o ¿si es la del pardillo barbero
y no de ningún otro infeliz?
¿debemos siempre batallar
por poseer meritoriamente
la locura que nos toca?

y ¿qué de la locura del saber
por fin quiénes somos?
¿quién podrá tolerar ese don?

NOT ALL MADNESS IS DESCENT

some is flight
the rise of a million wings
that darken the sun

some is leave
of home & name
& rights to wander

some is gift

but how are we to know
if the barber's basin
that glints on the barber's head

as he rides his donkey
to the next town
was bequeathed to us
by the gods to ward off evil enchanters

or if it's the happy barber's
& no one else's?
must we always fight
to own by merit
the madness that is ours?

& what of the madness
of finally knowing who we are
who can live with such a gift?

LOS QUE NOS ABRASAMOS ACÁ ABAJO

di lo que quieras de nerón, de ese comilón gordo
que nunca se negó ningún apetito ni antojo,
lo que quieras de vomitorios y purgas,
de perlas desleídas en vinagre y esclavos
para limpiar las babas, o lo que quieras
de violines y liras ¿protestaremos nimiedades?
¿que si instrumentos de cuerda? ¿que si salidas?
roma arde. imputa el incendio al que quieras,
di lo que dirás de los que bailamos al compás
del titileo de las llamas. quizás éramos nosotros
los que prendimos la llama, quizás nerón, quizás
por fin una de sus antorchas humanas se bajó
de su ardorosa cruz y vestido sólo de esa luz
y calor que consumía su carne por la ciudad
corrió. di lo que quieras, pero el saltarín
que toca las cuerdas y gira por el fuego
no es nerón, sino nosotros, acá exstasiados.

WE WHO BURN HERE BELOW

say what you will about nero, about that well-fed man
in a toga who never said no to any appetite or whim,
what you will about vomitoriums & purges,
about pearls dissolved in vinegar & slaves to wipe
the spittle, say what you will about
fiddles & lyres. are we going to quibble
over stringed instruments & means of egress?
rome is burning. blame
who you will for the fire, say what you want
about we who dance to the rhythm of the flame's
flicker, maybe it was we who set the blaze,
maybe nero, maybe at last one of his human torches
climbed down from the fiery cross clothed
only in that light & heat that fed on his flesh to run
through the city, say what you will, but the dancer
who strums & twirls in the fire is not nero,
but we who burn here below beside ourselves.

PEDRO LARREA

(España, 1981)

Casa Émory,
28 de marzo de 2017

3

No deberían arder las ciudades
sino los hornos de pan y las farolas,
el combustible de los repartidores de gardenias
y las baldosas naranjas del paseo con sol reciente.

No deberían arder las ciudades
porque una ciudad es una cebra fogosa,
una ofrenda necesaria de sombra y luz
para aplacar la mandíbula del león humano.

No deberían arder las ciudades,
ni la que tiene piscina de leche
    para baño de unicornios
ni la poblada por escorpiones y tentáculos
    que los devorarían.
No deberían arder ni la torre ni la madriguera.

Deberían arder la muerte y su geometría.
Debería moldearse un cuerpo nuevo
    que recordara por sí mismo
cómo llegar al pantano en que se oculta la salamandra
    de la respiración.
Deberían arder las corazas. Deberían arder los rectángulos.

Pero no deberían arder las ciudades.

3

Cities should not burn
instead, their bread ovens and streetlights,
the fuel used by gardenia delivery-men,
and the tiles underfoot, orange in the morning sun.

Cities should not burn
because a city is a spirited zebra,
an offering of shadow and light necessary
to placate the jaws of the human lion.

Cities should not burn,
neither the one with a swimming-pool of milk,
    a unicorn-bath,
nor the one populated by scorpions and tentacles
    that would devour them.
Neither the tower nor the den should burn.

What should burn is death and its geometry.
What should be molded is a new body,
    that will remember, on its own,
how to reach the marsh where the salamander
    of breathing is hidden.
Armor would need to burn. Rectangles would need to burn.

But the cities should not burn.

5

Soy más viejo que mi cuerpo
como el cedro es más viejo que sus hojas actuales.
Hiberno como el cedro, y despierto cuando la batuta
de las horas
golpea el atril del espacio. Por mí han pasado
corcheas
como por el cedro macillos de colibríes.
Soy el que fui con la corteza de lo que seré
sin estrenar.

Soy más joven que mi espíritu.
Mi casa es un cráter que creó una roca extraterrestre
antes del invierno nuclear y de la primera glaciación.
No comprendo que ninguna pirámide sea más antigua
que el más joven de mis olivos,
ni entiendo la trompeta frigia y el arpa persa
que a veces toco por intuición.
Me confunde ser testigo del nacimiento de una galaxia.

Cómo puedo ser viejo cuando soy joven y joven
cuando soy viejo.
Cómo puede no existir una edad única que me dé sentido,
que justifique mi presencia en el pasado y el presente
y que imponga paz al bramido bélico del estar siendo
y del ser estando.
Cuándo poseeré un rostro definitivo para todos los espejos.
Cuándo podré decir este soy yo sin equivocarme
demasiado.

5

I am older than my body,
like the cedar is older than any of its current leaves.
I hibernate like the cedar, and I wake when the baton
    of the hours
strikes the music-stand of space. Through me have
    passed quaverings as, through the cedar,
the little hammerings of hummingbirds.
I am what-I-was, with the bark of what-I-will-be,
    without trying it on.

I am younger than my spirit.
My house is a crater created by a rock not of this world
before nuclear winter and the first glaciation.
I do not comprehend how any pyramid is older
    than the youngest of my olive trees,
nor understand the Phrygian trumpet or the Persian
harp, which, sometimes, I play by intuition.
I am confused at being witness to a galaxy's birth.

How can I be old when I am young and young
    when I am old.
How can there not exist a unique age which lets me feel,
which justifies my presence in the past and in the present,
and which imposes peace upon the warlike roaring
    of sensate being and existing.
When will I have a definitive face for every mirror.
When will I be able to say I am this without
    being too wrong.

Soy joven pero conozco los secretos de la cartografía.
Soy viejo pero tengo agilidad para boxear contra mí mismo.
Soy lo que falta antes de ser y lo que queda
    después de estar.
A quién odiaré más que al palimpsesto de mi carne.
A quién tendré por cómplice en el soborno de mi espíritu.
A quién daré los labios de quien me habita sucesivamente
    en soledad.

I am young but I recognize the secrets of cartography.
I am old but I have the agility to box against myself.
I am what lacks before being and what remains
after existing.
Whom will I hate more than the palimpsest of my flesh.
Whom will I take as an accomplice in the bribery of my spirit.
Whom will I touch with the lips of whoever
inhabits me successively, in solitude.

ANDREA COTE
(Colombia, 1980)

Casa Émory,
4 de abril de 2017

LECCIÓN ÚNICA SOBRE COSAS VIEJAS

Ya dije
no sé quién inventa el olor de las casas,
no sé.
Más aún si lo que te gusta es mirar desde arriba
la vista ruinosa de los tejados
y la pared deslucida
y los muros
y las sucias puertas de las casas viejas de aquí.
Más aún,
si ya no recuerdas que
no es el olor
sino la bondad de la cosas
al exhibir su derrota.

A SPECIAL LESSON CONCERNING OLD THINGS

I've already said
I don't know who invents the smell of houses,
I don't know.
Even more if what you like is a bird's eye view of
the dilapidated sight of the rooftops
and the lackluster wall
and the rock walls
and the grimy doors of the old houses around here.
Even more,
if you no longer remember that
it's not about the smell
but the goodness of things
on showing on their defeat.

PUERTO QUEBRADO

Si supieras que afuera de la casa,
atado a la orilla del puerto quebrado,
hay un río quemante
como las aceras.
Que cuando toca la tierra
es como un desierto al derrumbarse
y trae hierba encendida
para que ascienda por las paredes,
aunque te des a creer
que el muro perturbado por las enredaderas
es milagro de la humedad
y no de la ceniza del agua.
Si supieras
que el río no es de agua
y no trae barcos
ni maderos,
sólo pequeñas algas
crecidas en el pecho
de hombres dormidos.
Si supieras que ese río corre
y que es como nosotros
o como todo lo que tarde o temprano
tiene que hundirse en la tierra.
Tú no sabes,
pero yo alguna vez lo he visto:
hace parte de las cosas
que cuando se están yendo
parece que se quedan.

BROKEN PORT

If you only knew that outside the house,
tied to the shore of the broken port,
there is a river burning
like the sidewalks.
That when it makes landfall
it is like a collapsing desert
and it brings along burning grass
to ascend the walls
even though you are given to believe
that the wall disturbed by climbing vines
is a miracle of humidity
and not from the ashes of water.
If you only knew
that the river isn't made of water
and it doesn't carry boats
or lumber,
only bits of seaweed
grown on the chests
of sleeping men.
If you only knew that the river runs
and that it is like us
or like everything that sooner or later
has to sink into the earth.
You don't know,
but I've seen it once:
it forms part of the things
that when they are leaving
it seems that they will stay.

CONTENTS

POETS IN CASA ÉMORY